L'IMAGERIE DE L'ESPACE
LES ENGINS

Conception et texte :
Emilie Beaumont

Marie-Renée Pimont
Institutrice d'école maternelle

Images :
Y. Lequesne - T. Pepperday

FLEURUS
ENFANTS

ÉDITIONS FLEURUS, 11, rue Duguay-Trouin 75006 PARIS

LE PREMIER VOYAGE VERS LA LUNE

Il y a plus de vingt ans, un équipage d'astronautes américains a vécu une grande aventure. Voici leur histoire.

ARMSTRONG

COLLINS

ALDRIN

Les trois astronautes ont pris place dans la cabine Columbia, tout en haut de la fusée Saturne 5.

DÉPART DE LA FUSÉE SATURNE 5

Décollage réussi ! La fusée a quitté le pas de tir. Dans trois jours, les astronautes seront sur la Lune !

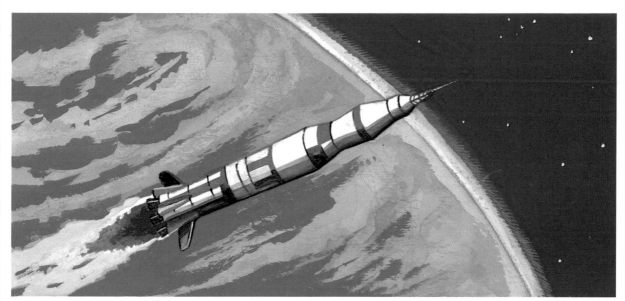

Les deux premiers étages de Saturne 5 vont retomber. Le dernier étage se dirigera vers la Lune.

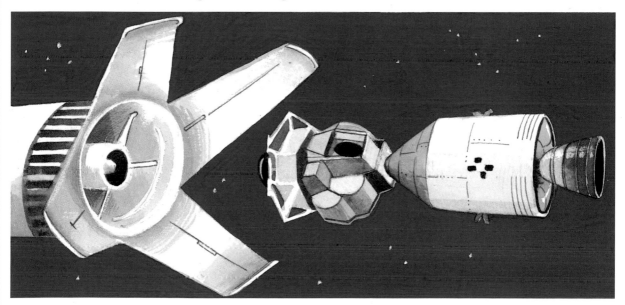

La cabine Columbia se sépare du troisième étage et continue sur sa trajectoire, en direction de la Lune.

LE LEM

Collins reste dans la cabine Columbia. Armstrong et Aldrin prennent place dans un petit engin spatial : le Lem.

Ce vaisseau, capable d'alunir, ressemble à une grosse araignée avec ses grands bras.

Le Lem se pose sur la Lune, dans un désert : la mer de la Tranquillité. Un astronaute sort du Lem.

PREMIERS PAS SUR LA LUNE

Pour la première fois, un astronaute va marcher sur la Lune.
Les hommes suivent l'événement à la télévision.

Armstrong est descendu le premier. Très ému, il prononce ces mots : "Un petit pas pour l'homme, un grand pas pour l'humanité." Aldrin et Armstrong vont ramasser des roches et poser des instruments de mesure.

MISSION ACCOMPLIE !

Le Lem a rejoint Columbia et les trois astronautes de la mission Apollo 11 reviennent vers la Terre.

Freinée par un parachute, la capsule s'est posée sur la mer.
Les plongeurs vont aider les astronautes à sortir.
Ils rapportent avec eux des échantillons du sol lunaire.

LA FUSÉE ARIANE LANCE DES SATELLITES

Ariane est la fusée construite par les Européens. La voici sur sa rampe de lancement. Le départ va être donné.

La coiffe protège les satellites au départ de la fusée.

Le troisième étage largue les satellites à 667 km du sol.

Le deuxième étage se détachera à 147 km du sol.

Le premier étage se détachera à 74 km du sol.

gros réservoirs à poudre qui vont s'allumer pour aider au décollage de la fusée.

LE VOYAGE D'ARIANE

Au fur et à mesure de son ascension, Ariane perd un à un ses étages. Pour chaque lancement, il faut une fusée toute neuve !

Bras et câbles se détachent. Les moteurs s'allument.

La fusée décolle. Les gros réservoirs se détachent.

Le premier étage retombe, le deuxième est mis à feu.

Le deuxième étage retombe, le troisième est mis à feu.

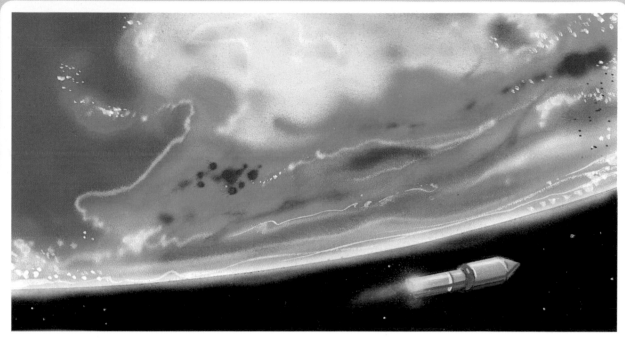

Le troisième étage tourne autour de la Terre. Il va larguer le satellite avant de brûler en retombant dans l'atmosphère..

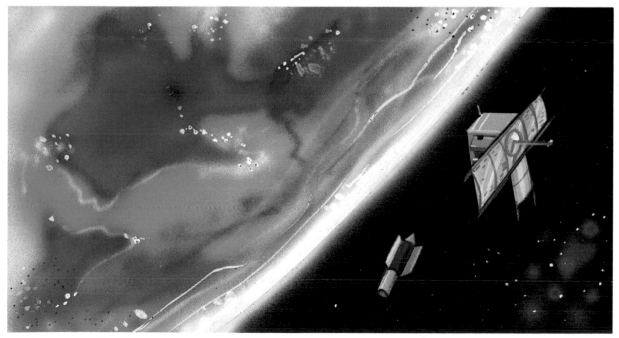

Le satellite ouvre ses panneaux solaires. Quand il aura atteint la bonne position, il enverra des informations vers la Terre.

LA NAVETTE SPATIALE

Les fusées ne peuvent servir qu'une seule fois. C'est pourquoi les Américains ont fabriqué la navette spatiale.

La navette décolle, agrippée à un énorme réservoir flanqué de deux pousseurs. Elle reviendra sur Terre.

2. Après les deux pousseurs, la navette se sépare du gros réservoir, qui va brûler dans l'atmosphère.

1. Quand ils n'ont plus de carburant, les pousseurs retombent à la mer.

LE TRAVAIL DE LA NAVETTE

La navette tourne autour de la Terre. Les astronautes larguent des satellites ou les ramènent pour les réparer.

Un bras métallique sort de la soute et retient les astronautes qui quittent la navette pour travailler dans l'espace.

Une fois la mission accomplie, la navette revient sur Terre et atterrit comme un avion. Dans quelque temps, elle repartira.

HERMÈS : PREMIER AVION SPATIAL EUROPÉEN

Les Européens préparent la construction de la navette Hermès
qui emmènera les "spationautes" jusqu'à la station Colombus.

C'est la fusée Ariane 5 qui emmènera Hermès dans l'espace,
puis la larguera. Hermès reviendra sur Terre comme un avion.

Voici la future station européenne Colombus. Chercheurs et techniciens pourront y travailler pendant plusieurs semaines. Hermès "fera navette" entre la Terre et Colombus pour la relève des équipages.

DES SONDES EXPLORENT L'UNIVERS

Une sonde est un robot qui envoie des photos vers la Terre.
On l'envoie vers des planètes encore inaccessibles pour l'homme.

La sonde Mariner 10 survole Mercure.

Viking s'est posée sur Mars. Elle n'a pas trouvé de Martiens.

La sonde Voyager a survolé Jupiter et Saturne. Après avoir atteint Neptune, elle ira se perdre dans l'espace.